가끔은 선명한 안녕

가끔은 선명한 안녕

오주연

약속이 있어서 어딘가로 가던 길이었던 것 같다. 하늘이 머리 위에 바로 닿아 있는 것처럼 느껴질 만큼 맑았고 그려 놓은 것처럼 구름 한 톨도 떠 있지 않았다. 한 번도 하늘을 올려다 본 적이 없었던 사람이었던 것 마냥 너무 낯선 기분이 들었다. 그때 나는 어떤 것으로도 지탱할 수 없을 정도로 지쳐 있었던 것 같다. 그 어떤 것으로도 답을 얻을 수 없었고 심지어는 답을 얻겠다는 마음 조차도 가지지 못했었다. 그런데 그날 나는 그저 평범한 하늘 하나에 그대로 멈춰 섰다. 어디로 가려던 길이었는지도 잊어버린채 그렇게 한참을 오랫동안 서 있었다. 그때의 내가 울고 있었는지 웃고 있었는지 그런 것은 조금도 기억이 나지 않는다. 공백처럼 아무 것도 하지 않은 채로 멈춰 있었던 그날의 정말 평범했던 기억이 긴 여운처럼 선명하게 여전히 남아 있다는 것 말고는 아무 것도 기억나는 것이 없다.

그리고 나는 소설을 쓰게 됐다. 인생의 어느 것도 분명한 것이 없었다. 생각해 보면 나는 그냥 너무도 흐리멍텅한 과거와 현재와 미래로 가득 차 있었고, 가득하고, 가득할 것이다. 살면서 한 번 정도 너무도 선명하게 살아있다는 느낌 그것 하나만으로도 살아내고 쓸 수 있지 않을까. 나의 기대는 오직 그것 뿐이다. '안녕(安寧)'의 사전적 의미는 '아무 탈 없이 편안함.'이다. '安'과 '寧' 모두 '편안하다.'라는 뜻이다. 내가 가장 좋아하는 단어이기도 하다.

나는 매일 밤 나와 내가 지키는 모두가 '안녕'하기를 기도한다. 특정한 신을 믿지 않지만 언젠가부터 내가 지키기 시작한 밤은 모두에게 안녕을 선사할 수 있기를 빌고 또 빈다. 나의 인생에서 가장 선명하고 아름다운 두 꽃송이들로 인해 나는 나의 삶을 굳건하게 살아간다. 그 이유가 아니었다면 나는 쓰지 못했을지도 모른다.

한때 나는 내가 새벽 시간의 흐릿함과 아무 것도 남지 않은 조용함과 현명하지 않아도 되는 느슨함을 좋아한다고 생각했다. 그러나 그 모두는 내가 겁이 많은 사람이기 때문에 내 곁에 있는 것들이었다. 수없이 나 자신에게 안녕하냐고 물었지만 나는 아직 답을 듣지 못했다. 언젠가는 꼭 나 자신이 안녕하다고 말해주는 날이 오면 좋겠다. 내가 쓰는 소설들이 그 과정 어디쯤에 있기를.

- 작가 오주연

차 례

프롤로그   4

1장　가끔은 선명한 안녕   9

2장　바쿠가 지키는 밤   27

3장　Mine   43

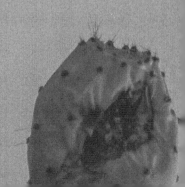

1장

가끔은 선명한 안녕

"너 선인장 잘 키우는 법이 뭔지 알아?
그냥 내버려 두는 거래.
근데 선인장이 진짜 척박하고 뜨거운 데서 크잖아.
손이 많이 갈 거 같은데 오히려 손이 덜 간다는 거
그거 너무 슬프지 않아?"

너에게는 항상 파란색 틴케이스에 담긴 크림의 향기가 났다. 그 당시으레 가방에 한 개씩은 들고 다닐 만큼 유행했던 것이었는데, 유독 너에게 만큼은 그 향기가 진하게 풍기는 느낌이 들었다. 나는 그 향기가 아이와 어른의 중간 정도에 놓여 있다고 생각했다. 그리고 너도 딱 그랬다. 내 말끝마다 "진짜?"하고 되묻던 너의 목소리는 철없는 아이 같았고, 나를 빤히 보던 너의 눈빛은 너무도 어른스러워서 심장 어딘가가 간지러울 정도였다. 누구에게나, 적절한 때, 어른이었다 아이였다, 태어날 때부터 그랬던 것처럼 감각적으로 행동하는 네가 나는 부러웠다. 그렇게 너는 언제나 누구에게나 사랑받는 아이였고, 나는 그토록 간절히 너를 닮고 싶었다. 그래서 나는 그것을 첫사랑이 아닌 첫 동경이라고 부르기로 했다.

"너 커피도 마시냐? 나 한 번도 못 마셔봤는데, 이거 내가 마셔도 돼?"

그날 내가 마시던 캔 커피에 너의 입술이 닿았을 때에 너는 엷게 웃었었나? 아니면 처음 맛보는 커피의 쓰디쓴 맛에 왼쪽 눈썹을 살짝 찡그렸었나? 너무 눈이 부셔서 살아있다는 것이 시릴 정도로 에이는 그런 날이었다. 너 하나 들어 왔을 뿐인데, 나의 세상은 온통 초록빛 풋내가 진동을 했고, 그때 나는 아주 진한 풀물이 든 꿈을 꾸고 있다고 생각했다. 은성아. 그때 나는 꿈을 꾸었을까. 지금 나는 꿈을 꾸고 있을까.

우윤은 눈을 뜨고도 한참을 멍한 표정으로 천장을 바라보았다. 아무무늬도 없는 천장용 흰 벽지가 우윤의 눈에 들어왔다. 그리고 그 흰 천장 위에 우윤은 기억할 수 있는 시점부터의 꿈을 모두 띄워 늘어놓았다. 우윤이 처음 꿈을 꾸었을 때는 꿈의 대부분이 기억나지 않았다. 그저 첫사랑을 겪었던 고등학교 시절 그 언저리쯤에서 그 아이를 다시 만났구나 정도였다. 그런데 하루하루를 거듭할수록 분명해졌다. 꿈이 이어지고 있었다. 오늘로 예순두 번째 연속몽(連屬夢)이었다. 그 속에서 우윤은 은성이와 함께 문학동아리에서 소설을 쓰던 시절로 돌아가 있었다. 꿈에서 깨고 난 후 우윤은 '그 다음엔 무슨 일이 있었더라.'라고 생각했다. 그러나 신기하게도 현재의 우윤에게는 과거의 일이 너무도 희미했다. 그래서 가끔은 꿈속에서 과거의 우윤이 아닌 현재의 우윤이 말을 하고 있는 것일지도 모른다고 생각할 때도 있었다. 횟수를 거듭할수록 꿈은 생생해졌고, 꿈에서 본 것들이 우윤의 선명한 과거가 되었다. 그리고 이제는 깨고 나서도 한참 동안 그 아이의 향기가 머물렀다.

우윤은 눈도 채 뜨지 못한 채로 침대 옆 탁자에 놓여 있는 작은 메모장과 흰색 모나미 볼펜을 함께 집어 들었다. 그 위로는 정리되지 않은 빽빽한 메모들이 가득 담겨 있었다. 그 위로 우윤은 화살표 몇 개를 쓱쓱 그려 넣었다. 마치 아주 어려운 수학 문제를 푸는 것처럼 미간이 잔뜩 찌푸려져 있었다. 그런 우윤의 모습과는 이질적으로 우윤이 끄적인 메모들은 하나같이 아련했다. 한참을 그대로 메모장을 바라보던 우윤은 거실로 향했다. 일인용 작은 회색 소파 하나가 겨우 거실이라는 구색을 맞추고 있었다. 온통 흰 벽의 가운데 몇 년 전쯤인지 잘 기억나지는 않지만 팬에게서 선물 받은 선명한 진초록빛의 선인장 그림이 심심함을 덜어주고 있었다. 우윤은 쨍한 핑크빛 머그컵에 물을 따랐다. 집안의 전체적인 분위기와는 전혀 어울리지 않는 것으로 보아 이것도 누군가에게 선물을 받은 것이 분명했다. 비어 있는 몇 통의 대형 생수병 옆으로 우윤의 휴대폰이 눈에 들어 왔다. 그제야 우윤은 자신이 어제 저녁 승하에게 문자를 보내고 답장을 확인하지 않았다는 사실을 떠올렸다.

'은성이랑 연락 가끔 하지 나는. 근데 은성이는 왜?'

승하로부터 문자가 와 있었다. 우윤은 무어라 답장을 해야 할지 몰라서 문자를 한참 동안 들여다 보고 있었다. 고등학교 동창인 승하라면 은성이와 연락이 닿을지도 모른다고 생각하며 보낸 문자였고 생각했던 답이었다. 여전히 우윤과 은성은 서로가 서로에게 언급되는 것이 금기인 것만 같았다. 승하는 우윤의 입에서 은성이의 이름이 거론되는 것만으로도 놀라는 눈치였다. 결국 우윤은 승하에게 답변하지 못했다. 승하는 우윤이 고등학교 동창들 중 유일하게 연락을 하고 있는 친구였다. 고등학교 때 우윤이 '그 사건'을 겪었을 때 승하는 우윤의 편에 서 있었다. 과

거에 대한 기억을 분명히 떠올릴수록 우윤은 꿈에서 느낀 엷은 은성의 향기에 숨이 아득해지는 느낌이었다.

두 달 전쯤, 한 대형서점에서 열린 '작가와의 만남'에서 우윤은 그 아릿한 향기를 느꼈었다. 소설을 쓰는 동안은 밖에 잘 나오지 않았기 때문에 사람들이 많은 공간에 머무는 것은 여러 번 겪어도 쉬운 일이 아니었다. '소설가 하우윤'이라는 글씨가 또렷하게 적힌 화려한 포스터 위로 보이는 전자시계에서는 빨간 숫자가 깜빡거리고 있었다. 우윤은 늘 그랬듯 그 숫자 위로 눈을 굴리고 있었다. 그러다 잠시 떨어진 눈동자에 스쳐 지나가는 익숙한 눈빛에 우윤은 자신도 모르게 반사적으로 고개를 숙였다. 몇 명의 사람들이 우윤의 소설책에 사인을 받은 후 돌아갔을 때쯤, 우윤은 머리 위로 눈부신 여름빛 그늘이 내리는 느낌이 받았다. 자신의 소설책 위에 사인을 마친 후, 그 밑으로 사인을 받으려는 사람의 이름을 적기 위해 이름을 물었을 때 우윤은 알 수 없는 떨림을 느꼈다.

"성함이요."
"유은성입니다."

그날 이후로도 그 목소리는 오래도록 눈앞에 머물렀다. 살면서 여러 번 떠올리고 그렸던 장면이었기에 우윤은 목소리만으로도 순간을 그릴 수 있었다. 우윤은 은성이를 왜 찾냐는 승하의 문자에 결국 답을 하지 않았다. 정확히는 답을 하지 못했다. 우윤은 그대로 일어나 서재로 향했다.

비워지거나 비워질 캔 커피 여러 개가 어지럽게 책상을 가득 채우고 있었다. 그 가운데 우윤이 출간했던 소설책들과 출간해야 할 소설 원고들이 한 데 섞여 있었다. 우윤은 의자에 기대 앉으면서 바닥으로 푹 꺼지는 느낌과 함께 긴 숨을 내쉬었다. 그리고 이내 우윤은 아주 두렵고도 큰 결심을 한 것처럼 책상 대각선 옆쪽에 걸려있는 커다란 거울을 슬쩍 돌아다 봤다. 대충 아무렇게나 주물러 놓은 것 같은 형체에 금방이라도 튀어나올 것 같은 커다란 한 개의 눈과 시뻘건 입에서 뚝뚝 매달려 떨어지고 있는 핏방울…턱을 타고 흘러내려 앞섶을 서서히 물들이고 적시는 그 서글픈 모습에 우윤은 눈물을 글썽였다.

***

오랜만에 단정한 수트 차림을 한 우윤은 어색함에 연신 매무새를 가다듬었다. 소설을 쓰겠다는 명목으로 사실상 도망에 가까운 자퇴를 한 후 거의 십 년 만에 찾은 모교였다. 잿빛 외양은 조금도 변한 것 같지 않았으나 학교의 안은 파스텔톤의 깔끔한 내벽으로 칠해져 있었다. 간간이 보이는 몇몇 교실들은 우윤이 학교를 다닐 때의 그 모습 그대로였다. 방과 후에 준비된 문학의 밤 행사였기에 대부분의 교실은 조용히 닫힌 채였다. 이렇게까지 이곳에 많은 추억이 남아 있는 줄은 몰랐는데 신기하게도 그 당시 입었던 약간 품이 작았던 교복의 느낌까지 그대로 살아나는 것만 같았다. 승하는 우윤에게 학교에 도착하게 되면 연락하라고 말했지만, 우윤은 일부러 기억을 더듬어가며 도서관을 찾아갔다. 마치 기다렸다는 듯이 그대로 남아 있는 학교의 모습에 우윤은 자신이 학창 시절로 돌아와 있는 것 같은 착각이 들었다. 우윤은 모교에서 승하가 근무하게 됐다는 사실로 겨우 고등학교 시절로부터 많은 시간이 흘렀음을 짐작할 뿐이었다.

"연락하라니까. 언제 왔어?"

우윤이 문학동아리 시절을 생각하며 별관으로 연결된 복도를 지나고 있을 때쯤 멀리서 승하의 목소리가 들렸다. 승하는 우윤에게 문학의 밤 행사에 참여해 줘서 자신의 면이 살았다고 말하며 우윤을 도서관으로 안내했다. 아직 행사의 시작 전이라서 도서관에 학생들이 없었고 승하가 미리 붙여 놓은 것으로 보이는 커다란 문학의 밤 현수막이 걸려있을 뿐이었다. 그러다 갑자기 승하는 불현듯 무언가 생각났다는 듯이 어깨에 메고 있던 진한 고동색 에코백에서 책 한 권을 꺼냈다.

"아참, 나 도서관에서 이거 찾았어. 우리 동아리에서 냈던 소설집."

우윤은 승하의 손에 들려 있는 문집을 보며 가슴에 여린 통증을 느꼈다. 표지에 또렷이 '하우윤'이라고 적힌 이름 밑으로 '유은성'이라고 적혀 있었다. 우윤은 말없이 문집을 받아 들고 스르륵 책장을 넘겨 보았다. 자신이 쓴 소설의 제목 밑으로 '공모전 당선작'이라는 글씨가 선명히 보였고, 우윤은 집게 손가락으로 그 글씨를 말없이 쓸어 보았다. 그런 모습을 바라보던 승하는 팬시리 슬리퍼를 바닥에 문지르며 우윤의 눈치를 살폈다.

"이거 그거 맞지? 그거 너 소문 났던 소설? 네가 유은성 찾길래 생각나서 찾아봤어. 처음으로 썼던 거잖아."

우윤은 말없이 문집을 응시하고 있었다. 승하는 더 이상 말을 잇지 않았고 15분 정도 후면 아이들이 행사장으로 들어올 것이라는 말을 남긴 채 잠시 교무실에 다녀오겠다고 했다. 우윤은 자신이 학창 시절에 썼던 소설의 처음부터 끝까지를 눈으로 읽어 나갔다. 그러다 문득 소설의 중간쯤 "진짜?"라고 되묻는 인물의 대사에 오래도록 시선을 고정했다. 우윤은 여러 번 반복해서 마음속으로 그 대사를 읊었다. 반복할수록 더 강렬한 검붉은 빛 향기가 밀려왔다.

'그거 유은성이 써준 거래.'

우윤은 갑자기 어디선가 날카로운 목소리가 들리는 것 같아 몸을 움츠렸다. 우윤은 잔뜩 힘이 들어간 어깨를 일으킬 수 없었다. 우윤이 연속몽을 꾼 이후로부터 현실인지 꿈인지 모를 순간들이 자주 찾아왔다. 우윤은 어쩌면 이 순간도 꿈의 일부일지도 모른다는 생각을 했다. 지금 살아내고 있는 이 모든 시간들이 언젠가는 매일 꾸는 꿈처럼 과거가 될 것이니까. 앙상하고 피폐한 표리 속에서도 간절히 무언가가 되고 싶었던 꿈이었다. 밤이 내려앉은 도서관의 유리창 위로 우윤이 어렸다. 그 모습은 얼마나 많은 밤의 살점을 뜯고 살랐는지 모를 정도로 끔찍하게 일그러져 있었다.

***

담임선생님께서는 굉장히 난감한 표정을 지으셨다. 너를 제외하고는 누군가가 그렇게 나를 걱정하면서 바라보는 눈길을 마주한 적이 없었다. 그게 어떤 의미인지 잘 알고 있었다. 그것은 내가 누군가의 눈에는 평범한 여고생이 아니란 것을 뜻했다. 그 이후로도 담임선생님은 내가 안전하게 지낼 수 있는 필수적인 조건들을 캐물으셨고, 나는 나에게 그러한 조건이 갖추어질 리가 없다는 것을 다시금 확인했다. 부모님은 모두 재혼하셨고, 그로 인해 두 분 집의 중간쯤 위치한 이곳으로 전학을 오게 된 것이라고 설명했다. 그리고 두 분 모두 이제는 내가 독립적으로 혼자 살 수 있다고 생각하고 있다는 말도 덧붙였다. 그러면서 나는 계속 자리 넘어 교무실 문을 힐끔힐끔 확인했다. 문이 조금씩 들썩이는 느낌이 들 때마다 나는 몸을 움츠렸다. 은성이 네가, 아니면 너와 친한 누군가가, 아니면 너에게 관심이 있는 누군가가, 이렇게 작은 공벌레 같아진 나를 보게 될까 봐. 그 순간의 나는 아주 작고 단단하게 말려서 작은 튕김으로도 멀리 날아갈 수 있었으니까.

"그러면 혹시 지금은 어떻게 생활하고 있니?"

난 그때 벽에 걸린 시계의 숫자를 눈으로 계속 따라 그리고 있었다. 어린 시절의 나는 자동으로 막대기가 삐거덕거리는 소리를 내며 내려오는 전동 키재기를 무서워했다. 천천히 내려오는 그 막대기의 소음과 나의 머리를 톡 치고 올라가기 전까지의 그 시간에 나는 세상에서 제일 비겁한 사람이 되었었다. 그럴 때마다 나는 항상 병원 벽에 걸린 시계의 숫자를 따라 그렸다. 저 별것도 아닌 하찮은 찰나가 아주 잠시 나를 울리고 떠나 주기를 바랐던 거 같다.

"그냥 저 혼자요…"

그렇게 교무실을 나왔을 때 제일 먼저 네가 보였다. 왜 이렇게 늦게 나왔냐고 묻는 너의 모습은 너무도 해사했고, 나는 너의 그 모습에 세포들이 모두 늙어 쭈그러드는 것 같은 느낌을 받았다. 그러나 너는 아무렇지도 않게 내 손을 깍지 껴서 잡으며 네가 구상하던 소설의 죽이는 결말을 생각했다고 했다.

"그 소설가 말이야. 결국 자기가 괴물로 보이기 시작하는 걸로 끝내면 어때? 대박이지?"

은성이 너는 그때 유치원 아이라도 된 양 신나 보였다. 그 결말을 나에게 들려주려고 나의 자취를 쫓고 한참을 교무실 문 앞에서 기다렸을 너의 모습을 상상했을 때, 나는 이제야 살아 있음을 느끼는 것처럼 심장이

뛰었다. 이쯤이었을 것이다. 유일하게 이 꿈의 결말을 아는 내가 이제는 무엇이라도 해야 하지 않을까 생각했던 것이 말이다. 다시 겪고 싶지 않았던 그 순간의 기억들을 향해 나의 꿈은 폭주하고 있었으니까.

'은성아, 나를 믿으면 안 돼.'

우윤은 꿈인 듯 꿈이 아닌 듯 중얼거렸다. 꿈속에서 이 말을 들은 은성의 표정을 얼핏 본 것 같기도 했다. 그것은 분명 알 수 없는 표정이었다. 한 번도 진실했던 적이 없었으니 한 번도 진실하지 않은 자신의 모습을 알아차린 은성의 표정도 본 적이 없었다. 어느새 베갯머리가 눈꼬리에서 흘러나온 눈물로 젖어 있었다. 우윤은 여든아홉 번째 연속몽을 꾸고 있었다.

우윤은 덜 뜬 눈으로 자리에서 일어나 탁자 위에 놓인 메모장과 모나미 볼펜을 양손에 각각 쥐었다. 이번 주만 해도 벌써 두 권의 메모장을 가득 채웠고 우윤의 손에 쥐어진 세 번째 메모장도 거의 잿빛 바닥을 드러내고 있었다. 늘 그렇듯 우윤은 볼펜으로 알아볼 수 없는 선을 찍찍 그어 나갔다. 우윤은 머릿속의 생각을 하나라도 놓칠세라 끝없이 메모를 이어갔다. 빽빽하게 가득 찬 우윤의 세상에는 선명한 몸부림이 가득 차 있었다. 아침 식사를 잊을 정도로 몰두해 있던 우윤은 문득 울리는 출입문의 벨소리에 정오가 다 되었음을 깨달았다. 우윤의 소설 집필은 늘 외롭게 진행되었다. 마치 그래야만 하는 것처럼 철저했다. 이 기간에는 밖으

로 나가는 것도 드물었지만 누군가가 집에 찾아오는 것도 흔한 일이 아
니었다.

　문이 열리고 양손 가득히 먹거리를 들고 있는 승하가 현관문으로 들
어섰다. 짙은 회색의 타일 위로 우윤의 검은색 스니커즈가 눈에 들어왔
다. 승하는 우윤의 스니커즈 옆으로 자신의 베이지색 구두를 벗어 두었
다. 승하는 거실에 들어서자마자 일인용 소파뿐인 것에 적잖이 당황한
것 같았다. 승하는 우윤에게 집에 찾아오는 손님도 없냐며 타박했고 결
국 자신의 진베이지색 트렌치 코트를 소파에 걸치고 바닥에 앉았다. 우
윤은 어색하게 웃으며 승하가 가져온 사과를 껍질째 씻어서 접시에 대
충 잘라 내왔다. 얼핏 우윤은 승하의 옷차림을 보며 자신의 흰색 반팔티
와 회색 트레이닝 바지를 내려다 보았다. 계절은 가을에서 겨울로 넘어
가는 언저리에 있었다. 우윤은 무색하여 괜시리 자신의 팔뚝을 문질거
렸다.

　"선인장 그림이네."

　별 말없이 사과를 씹고 있는 우윤을 보면서 문학의 밤 얘기며, 학교의
얘기며 실컷 혼자서 말을 늘어놓던 승하가 벽에 걸린 선인장 그림을 보
면서 말했다. 아마도 그냥 듣기만 하는 우윤 덕에 승하가 할 수 있는 말을
모두 소진해 버렸기 때문인가도 싶었다. 승하가 벽에 있는 선인장 그림
에 대해서 말을 늘어놓기 전까지 우윤은 사실 그 자리에 선인장 그림이

있다는 것을 인지하지 못하고 있었다.

"너 선인장 잘 키우는 법이 뭔지 알아?"

우윤은 뜬금없는 승하의 질문에 의아한 표정을 지었다. 그러고는 한 번도 생각해 본 적이 없는 선인장 키우는 방법에 대해서 잠시 고심했다. 사실 그것은 그림일 뿐 실제 선인장이 아니었으므로 한 번도 생각해 본 적이 없는 문제였고 고심을 할 필요도 없는 것이었다. 우윤은 그저 승하의 다음 말을 기다렸다.

"그냥 내버려 두는 거래."

우윤은 피식 웃음을 흘렸다. 그게 뭐냐는 의미였는데 승하의 표정은 사뭇 진지했다. '그냥 내버려 두는 것'이라는 말에 우윤은 그저 승하가 웃기려고 한 말이라고 생각했다. 그런데 승하의 표정을 보니 또 그것도 아닌 모양이었다. 우윤은 '그냥 내버려 두는 것'의 의미가 무엇이길래 이토록 승하가 진지한 표정을 짓는지 궁금해졌다. 그러나 승하는 긴 빈칸을 두고 다음 말을 꺼냈다.

"근데 선인장이 진짜 척박하고 뜨거운 데서 크잖아. 손이 많이 갈 거 같은데 오히려 손이 덜 간다는 거 그거 너무 슬프지 않아?"

승하는 이 집에 들어오고 처음으로 우윤의 눈을 똑바로 응시했다. 여태 어떤 할 말이 있으나 하지 못한 사람처럼 승하도 우윤도 눈을 피하고만 있었다. 우윤은 승하의 말에 선인장 그림을 다시 찬찬히 들여다보았다. 살아있지도 않은 단순한 그림일 뿐인데 갑자기 무언가 깊은 심해에서 일렁거리는 느낌이었다. 우윤은 이내 멀미를 느꼈다. 이제 와 보니 그림에는 선인장에 달려 있는 뻣뻣한 가시까지 세밀하게 묘사되어 있었다. 몇 년 전부터 그 자리에 있었던 것일 텐데 이렇게까지 자세하게 그 그림을 관찰해 본 적은 없었다. 분명 승하를 집으로 부른 것은 우윤이었다. 그러나 승하는 왜 자신을 불렀는지 묻지 않았다. 이미 그 이유를 알고 있다는 듯이 그저 시답지 않은 선인장 이야기를 늘어놓을 뿐이었다. 우윤은 승하에게 은성이에 대해 묻고 싶었다. 그리고 자신의 연속몽이 결말을 맺고 끝나기 전에 은성이를 만나야 한다고 생각했다. 결국 우윤은 토할 듯이 울렁거리는 그 말을 되삼켰다.

"은성이 문창과 안 갔어."

우윤은 뭐라고 대답해야 할지 몰라 머뭇거렸다. 승하는 그 모습을 보면서 덧붙였다. 사실 우윤의 멍해진 머릿속에 잘 들어오지는 않았지만 영리했던 아이라 대충 좋은 대학을 나와 좋은 데 취직하고 잘 지내고 있다는 내용이었다. 승하가 돌아가고 우윤은 사과 접시와 음료수병을 대충 밀어 놓고 멍하니 앉았다. 선인장이 살아서 움직이는 것처럼 진초록의 선명한 빛을 쏘아댔다. 그려지지 않은 어딘가의 이글거리는 태양을

잡아먹은 듯 짙은 핏빛의 꽃망울을 터뜨리고 있었다. 낯설지 않은 그 모습에 우윤은 맨손으로 선인장의 목덜미를 일그러뜨리는 상상을 했다. 그렇지만 우윤은 쉽사리 후끈거리는 뜨거움을 이길 수 없었다.

***

"에이 아니야 내가 쓴 거."

너는 내가 쓴 소설이 너의 머릿속에서 나왔다는 사실을 아무에게도 말하지 않았다. 오히려 모두에게 아무렇지 않게 웃어 버리는 너의 모습에 나는 그제야 무언가 잘못되었다는 것을 깨달았던 것 같다. 나는 그저 네가 말해 준 이야기를 글로 옮겨 보고 싶었을 뿐이었는데. 한 번도 내 인생의 중심이 나였던 적이 없었으니 지금까지 그래왔던 것처럼 그저 탈락해 버리면 아무도 모를 거라고 생각했다.

그런데 왜 나는 정말 간절한 마음으로 너의 이야기를 소설로 옮겼을까. 그리고 그 가짜 진심이 누군가의 마음을 울려 입상할 수 있을 정도에 닿았을까.

그런데 은성아, 너는 그 일을 다 겪고도 조금도 변하지 않았지만 나는 신기하게도 그날 이후로 너무 외로워졌어. 모든 것을 다 가졌다고 생각한 나의 세상 속에서 사실 모든 것을 다 가진 것은 은성이 너였다는 사실을 깨달았거든. 나는 그래서 매 순간이 너무 뜨거웠고 타들어 갈 듯 목말랐어.

'맞아. 내가 훔친 거.'

마지막 말을 하는 우윤의 목소리가 떨렸다. 꿈속에서인지 현실에서인지 모르는 웅얼거림일 뿐이었다. 그러나 아득한 속에서도 분명했다. 꿈속에서 은성에게 한 말이 은성에게 들릴 리가 없었다. 과거의 우윤이 한 번도 입 밖으로 낸 적이 없는 말이었으니 꿈이라고 해서 달라질 것이 없었다. 알 수 없는 굴욕감으로 도망치듯 학교도 은성도 떠나버렸던 과거의 기억이 우윤을 짓눌러 왔다. 우윤은 꿈에서 깨어났다는 사실을 알면서도 눈을 뜰 수 없었다. 우윤은 처음 은성을 보던 순간의 모습을 떠올렸다. 꿈에서 만난 마지막 은성의 모습은 그때의 모습처럼 해맑고 난란했다. 우윤은 처음으로 은성에게 어울리는 마지막을 생각했다.

우윤은 자리에서 일어나 습관처럼 메모장에 이런저런 낙서를 했다. 한참을 그대로 앉아서 무엇을 적는지도 모르게 끄적거렸다. 언제나 그렇듯 심각하고 심오한 표정 그대로였다. 펼쳤던 메모장이 빈자리를 찾아볼 수 없을 정도로 가득 찼을 때 우윤은 자리에서 일어났다. 우윤은 갑자기 은성이가 만들었던 그 스토리의 결말 밖 이야기가 궁금해졌다. 그것은 우윤이 절대로 생각할 수 없는 마지막의 마지막 이야기였다. 그래서 결국 괴물이 되어 버린 소설가는 괴물로 살아갔을지 아니면 또 다른 순간을 맞이했을지가 미치도록 궁금해졌다. 마침내 우윤은 그 스토리의 원형을 마주하기로 결심했다. 정오의 이글거림이 선명한 초록빛 선인장의 어딘가쯤에 맞닿아 있는 순간이었다.

2장

바쿠가 지키는 밤

"야 근데 열 받지 않냐?
뭐든 결말이 있어야 한다고 생각하는 거.
그냥 적당히 즐겁다 마는 게 내 꿈인데.
사람들은 그런 건 꿈이라고 안 부르더라."

깊이가 보이지 않는 검은색 상자 안으로 모자며 지팡이며 작은 소품들이 끝없이 들어갔다. 준혁은 자기 덩치보다도 더 큰 천 뭉치를 휙 말아서 들어 올렸다. 그리고 소품들이 담긴 상자 위로 집어넣었다. 땀 한 방울이 흘러내려 준혁의 왼쪽 뺨에 닿을 때쯤 준혁은 쓰고 있던 흰색 마스크를 슬쩍 벗어서 옷 소매로 닦아냈다. 살짝 드러난 왼쪽 얼굴이 물에 띄워놓은 마블링 물감처럼 흰색과 분홍색이 한데 얽혀 일그러져 있었다. 깊게 눌러쓴 검정 모자 안쪽으로도 한데 섞인 분홍빛이 섬세하게 그린 비둘기의 꼬리처럼 닿아 있었다.

같이 소품을 정리하던 선형은 새삼 걱정된다는 표정을 지어 보이며 준혁이 가지고 있던 다른 천 뭉치를 받아 들었다. 준혁은 멋쩍은 듯이 마스크를 다시 썼다. 준혁은 원체 말을 많이 하는 성격이 아니었다. 선형은 그걸 잘 알고 있었기에 더 이상 자세하게 묻지 않았다. 그렇지만 선형은 항상 준혁의 왼쪽 얼굴에 나 있는 커다란 화상 자국에 대해 궁금했다. 사실 그것은 준혁을 만나는 모든 사람들이 가지고 있는 의문이었다. 준혁을 만난 지 3년 가까이 되었지만 준혁은 한 번도 자신의 상처에 대해서 말을 꺼내지 않았다. 한때는 배우가 되길 꿈꿨다는 것으로 미루어 준혁이 지금 이곳에서 얼굴 없는 마술사로 공연하고 있는 이유가 저 흉터 때문일 것이라고 짐작할 뿐이었다.

대충 소품 정리가 마무리되어가는 모양새를 보더니 준혁은 자신의 검은색 백팩을 한쪽 팔에 걸고 뒤적였다. 그리고 이내 코가 긴 작은 목 각 인형을 꺼내 들었다. 그것은 준혁의 새로운 마술 소품이었다. 오래 전부터 준혁의 가방에 걸려 있었던 목각 인형이었는데 어느 날 준혁이 마술 소품으로 쓰겠다고 선언을 한 이후로 요즘은 항상 준혁의 손에 쥐 어져 있었다.

"그거 이름이 뭐랬지?"
"아, 바쿠요."
"아 맞다. 요새는 들어도 자꾸 잊어버리네."

준혁은 슬쩍 미소를 지은 후 공연장 한쪽 구석으로 가서 한참을 작은 목각 인형과 씨름했다. 한 손으로 인형을 감췄다가 다시 나타나게 하는 간단한 마술이었는데도 목각 인형의 특성상 많은 연습이 필요했다. '바 쿠'라는 이름의 목각 인형은 손이 많이 닿아 윤이 나도록 반들거렸다. 통통한 몸매에 어울리지 않는 호랑이 같은 발을 가진 바쿠는 무시무시 한 표정을 짓고 있었으나 미소를 짓고 있는 입매 덕분에 익살스럽기까 지 했다. 선형은 준혁과 달리 오랜 침묵을 견디기 어려워하는 성격이었 다. 그럼에도 불구하고 준혁에게 있어서는 준혁의 무뚝뚝한 성품 탓에 어느 정도 선 이상의 질문은 건네기 어려웠다.

"일본 여행 갔다가 샀댔지?"

"네."

"근데 얘가 뭔데 밤을 지켜?"

오랜 침묵을 깨기 위해 선형이 억지로 생각해낸 질문이었다. 준혁이 이번에 준비한 마술 프로그램의 타이틀인 '바쿠가 지키는 밤'이었는데 선형은 나름 어색하지 않게 화제를 잘 선택했다고 생각하며 뿌듯했다. 준혁과의 대화에서는 두 마디 이상 대답을 이끌어내기가 어려웠고 늘 대화가 잘리기 마련이었다. 어떤 때는 준혁이 자신과 친해지기를 꺼리나 싶다가도 항상 마지막까지 남아서 정리를 다 하고야 돌아가는 성실하고 세심한 성품을 보면 또 그것도 아닌가 싶을 때도 있었다. 준혁도 그런 선형의 마음을 아는지 잠시 머뭇거리다가 대답했다.

"영화 제목이에요. 고등학교 때 봤던."

***

준혁은 비딱하게 야외 파라솔 테이블에 엎어진 컵라면 용기를 조심스레 치운 후 물티슈로 닦아냈다. 야간 편의점 아르바이트를 하다 보면

흔히 일어나는 일이었다. 그 옆으로 몇 개의 술병도 함께 쓰러져 있었다. 준혁은 어떤 사람이 어떤 이유로 이런 흔적을 남기고 떠났을까 가만히 상상해 보았다. 준혁은 보조 마술사로 공연을 시작한 지 얼마 되지 않았기 때문에 아직은 온전히 무대에 서지 못했고 여전히 야간 편의점 아르바이트를 겸하고 있었다. 준혁은 새벽 공기를 좋아했다. 마치 아무도 맡지 않은 첫 새벽의 기운을 자신이 온전히 다 차지하고 있는 것 같은 느낌이 들었기 때문이었다. 새벽의 한 가운데에서 사람이 뜸해진 틈에 준혁은 그대로 편의점 야외에 놓인 의자에 기대어 앉았다. 어스름의 몽롱한 기운이 준혁을 감아 돌았다.

오늘따라 편의점에 사람이 드물었다. 적막을 뚫고 검은색 야상점퍼에 그보다 더 까만 모자를 깊게 눌러쓴 누군가가 편의점 안으로 쑥 들어가는 것이 보였다. 준혁은 계산을 하기 위해 재빨리 편의점으로 따라 들어갔다. 준혁이 들어오는 기척을 느꼈는지 온통 검은 옷차림의 그 누군가가 준혁을 돌아다 보았다. 그는 마치 편의점에 물건을 사러 온 것이 아니라 준혁을 만나러 온 것처럼 계산대 근처에서 서성이고 있던 참이었다. 이윽고 그의 눈과 준혁의 눈이 마주쳤다. 두 사람 사이에 어색한 얇은 기운이 맴돌았다. 준혁은 심해의 한가운데 있는 것 같은 무기력한 압박감이 자신을 집어삼킬 것만 같은 감정을 느꼈다.

"너…"

'김영민.' 준혁은 자신의 입에서 오랫동안 함봉되어있던 이름을 마음속으로 떠올렸다. 영민의 검은 눈동자 위로 준혁의 얼굴에 있는 엷은 분홍빛 흉터가 비쳤다. 마스크로 얼굴을 가리고 있었지만 열상(熱傷)의 흔적은 마치 누군가 일부러 그려 놓은 것처럼 그 일부를 분명히 드러내고 있었다. 준혁은 영민의 어깨가 잠시 훌쩍거리는 것 같다고 느꼈다. 영민은 마치 무언가 홀린 사람처럼 정신이 아득한 상태였다. 마치 오랜 악몽에 시달린 사람처럼 그렇게 영민은 얽히고설켜 보였다. 준혁은 그 모습에서 예전에 영민이 가지고 다니던 엉켜 있는 이어폰 줄을 떠올렸다.

***

하늘엔 태양이 가득 차서 도무지 빈틈이 없었다. 모든 것이 한데 녹아 들어 색깔을 모두 잃어버릴 것 같은 여름이었다. 흰색과 파란색이 번갈아 색칠된 커다란 파라솔 아래, 그늘이라고 말하기도 무색한 한 뼘짜리 공간만이 청량함의 전부였다. 진한 파랑색의 플라스틱 의자에 마주 보고 앉은 준혁과 영민은 서로 말이 없었지만 다리를 떠는 습관부터 들고 있는 아이스크림의 취향까지 데칼코마니가 따로 없었다. 두 사람 모두 위로는 단정한 교복 반팔을 입고 있었지만 아래로는 대충 걸친 학교 체육복 반바지 차림이었다. 준혁과 영민은 똑같이 신은 삼선 슬리퍼 위로 아이스크림이 녹아 흐르는 것을 아는지 모르는지 다른 손에 들린 만화

책에만 정신이 팔려있었다. 그러다 갑자기 무언가 생각났다는 듯이 준혁이 손에 묻은 아이스크림을 대충 바지에 문질러 닦고는 주머니에서 만 원짜리 세 장을 꺼내 영민에게 내밀었다.

"없다더니."
"공짜 아니야 새끼야. 갚아."

영민은 준혁에게 삼만 원을 받아 주머니에 찔러 넣으며 친구끼리 갚는 게 어디 있냐고 히죽거렸다. 그러면서도 영민은 자신이 오랫동안 가지고 싶었던 영화의 감독판 DVD를 살 수 있게 되었다는 생각에 절로 미소가 지어졌다. 영민이 무슨 말을 하든 그다지 귀 기울여 듣는 모습이 아닌 것을 보니 준혁은 애초부터 돈을 받겠다는 생각은 없는 것처럼 보였다.

"야 근데 꿈으로 갚아도 되냐?"
"갑자기 무슨 개소리야."

또 한참을 만화책 삼매경에 빠져있다가 영민이 갑자기 꺼낸 말에 준혁이 또 무슨 소린가 하고 영민 쪽을 힐끔 넘겨다 봤다. 그러다 영민의 표정이 사뭇 진지해지는 모습을 보고는 준혁은 솔깃한 표정으로 영민을 바라봤다. 영민은 이런 꿈은 태어나서 처음 꿔 본다는 말을 덧붙였고 여전히 꿈속에 들어앉은 것처럼 몽롱한 표정까지 지어 보였다.

"엄청 큰불이 나는 꿈을 꿨는데, 거기서 내가 불사신처럼 서 있더라."

영민은 정말 불사신이라도 된 것처럼 팔까지 활짝 펼쳐 보이며 꽤 진지한 표정이었다. 준혁은 어이없다는 듯한 눈을 흘기며 웃음을 터뜨렸다. 진짜라며 억울해하는 표정을 짓던 영민은 꿈으로 삼만 원을 모두 갚은 것이라며 히죽거렸다. 한편으로 준혁은 얼핏 엄마가 집에 크게 불이 나는 길몽을 꿨다며 로또를 사야겠다고 말했던 기억을 떠올렸다. 아무리 길몽이어도 그걸 곧이곧대로 믿고 삼만 원으로 바꿔 줄 생각은 조금도 없었다. 돈을 돌려받을 생각을 한 번도 해 본 적이 없었고 영민도 그 사실을 잘 알고 있었다. 그러나 준혁의 의지와는 상관없이 영민은 능청스러운 표정으로 자신의 꿈을 삼만 원에 팔아넘기고 있었다.

잠시 영민의 명연기를 감상하는 사이 아이스크림은 이미 다 녹아서 형체도 없이 뚝뚝 떨어져 내리고 있었다. 준혁은 손에 든 아이스크림 막대기를 대충 핥아서 먹고는 쓰레기통에 던져 넣었다. 영민은 그 모습을 보며 자신의 손에 들린 아이스크림 막대기를 돌아봤다. 형편없이 바지 옆쪽으로 뚝뚝 아이스크림이 흘러내려 있었다.

"근데 너 이번 주에 오디션 보러 가냐?"

엉거주춤한 자세로 아이스크림 막대기를 버리는 영민의 모습을 보던 준혁이 대뜸 물었다. 영민은 대답 없이 한숨을 쉬며 고개를 저어 보였다. 이어 준혁이 맨날 영화만 보지 말고 연기 연습을 했으면 오디션을 보러 다니라는 둥, 처음에 네가 같이 연기 오디션 보러 다니자고 했으면 적어도 모범을 보여야 한다는 둥 이런저런 잔소리를 죽 늘어놓았지만 영민은 도무지 듣는 것처럼 보이지 않았다. 결국 준혁은 너 때문에 나까지 연기하겠다고 뛰어들지 않았냐고 그렇게 시작했는데 진지한 건 나뿐이라는 말까지 쏟아 놓았다. 사실이었다. 처음에는 영민과 시나리오를 읽으면서 재미로 시작하게 된 것이 연기였는데 이제는 어째 준혁이 쪽만 진심인 것 같이 보이기도 했다. 실실거리며 준혁의 잔소리를 그대로 듣던 영민이 '진지함'이라는 단어에 갑자기 발끈했다.

"야 근데 열 받지 않냐? 뭐든 결말이 있어야 한다고 생각하는 거. 그냥 적당히 즐겁다 마는 게 내 꿈인데. 사람들은 그런 건 꿈이라고 안 부르더라."

준혁은 말문이 막힌 채로 영민을 멍하니 쳐다봤다. 처음에는 대책 없이 아무렇게나 말하는 것 같다고 생각했다. 그러나 생각해 보니 딱히 반박할 만한 말이 없을 정도로 무논리의 논리가 느껴졌다. 준혁이 무슨 생각을 하는가와는 상관없이 영민은 음악을 듣기 위해 가방에서 이어폰을 꺼내 엉킨 줄을 풀기 위해 집중하고 있었다. 점점 더 엉키기만 하는데 어떻게 풀어야 할지에 대해서 고민하지 않는 것 같았다. 그러더니 이내 엉킨 그대로 한쪽 귀에 이어폰을 꽂았다.

"야 이거 졸라 신기해. 억지로 풀려고 하면 죽어도 안 풀리는데, 어느 날 보면 또, 알아서 풀려 있어."

***

"야 바쿠가 뭔 줄 아냐?"

영민이 삐딱하게 누운 채로 감자 칩을 입에 넣으며 말했다. 지저분한 과자 봉지 사이에 '바쿠가 지키는 밤'이라는 제목의 DVD 케이스가 반쯤 열린 채로 한데 얽혀 있었다. 준혁은 영민의 질문에 별로 궁금하지 않다는 말투로 '아니'라고 대충 말한 후 화면에 지나가는 풍경을 응시했다. 한편으로는 '연설이 또 시작되겠군' 하는 지겨움의 표출이기도 했다. 영화에 대한 이야기를 할 때면 영민의 눈빛은 다른 때와 다르게 총기가 생겼다. 영민의 부모님은 주말이면 시골에 살고 계신 영민의 할머님을 돌보러 내려가셨다. 그래서 주말이면 영민의 집은 영화관이 됐다. 영민의 집에서 영화를 함께 보곤 할 정도로 늘상 있는 일이었지만 오늘따라 영민은 더 신나 보였다. 아마도 꿈을 판 돈이랍시고 얻은 삼만 원을 보태 오래전부터 가지고 싶었던 감독판 영화를 손에 넣었기 때문일 것이리라.

"악몽을 먹는 동물이야. 상상 속의 동물. 그래서 저 주인공이 저거 들고 다니는 거야."

영민이 주인공의 행동을 흉내 낸 후 바쿠를 따라 하는 표정을 지었을 때 준혁은 정말로 영민이 영화 속에 등장하는 바쿠 인형을 닮았다고 생각했다. 특히나 저렇게 근엄한 척하지만 사실은 조금도 진지하지 않아 보이는 저 익살스러운 표정이 똑같다고 생각했다. 어디서나 영민은 자신의 연기를 보여 주길 좋아했다. 준혁은 영민이 평소에 보여 주었던 모든 순간들이 늘 영화의 한 장면과 같다고 생각했다.

"진심 너랑 똑같다."

준혁이 큭큭 대며 웃자 영민은 그만 웃으라며 준혁의 옆구리를 발끝으로 살짝 걷어찼다. 그 심드렁한 표정이 더욱 닮은 것만 같아서 준혁은 웃음을 멈출 수가 없었다. 대충 사는 것이 꿈이라던 영민은 아이러니하게도 자신의 이상(理想)에 너무 진지했다. 그가 좋아하는 영화들과 작품을 대하는 태도가 그러했다. 심오하고 철학적인 작품들을 보길 좋아했고 그럴 때마다 마치 자신이 영화감독이라도 된 것처럼 꽤 진지해지기도 했다. 어떤 날은 진지하고 어떤 날은 철이 없이 보이는 그 사이의 간극에 준혁만큼 온전히 적응한 친구도 드물었다. 그걸 증명이라도 하듯이 오늘따라 유달리 우스꽝스러운 표정을 지어보이는 영민의 모습에 준혁은 허리가 끊어져라 웃어댔다.

숨이 끊어질 정도로 깔깔대는 두 웃음소리와 영화 소리가 뒤섞여 시끄러운 가운데로 빨간 그림자가 드리웠다. 멀리 들려오는 화재경보기

소리와 사람들의 목소리가 점점 심각할 정도로 크게 문틈을 뚫고 영화의 한 장면처럼 아득하게 들렸다. 불빛이 번지고 사위는 가운데 바쿠가 지킬 수 없는 치열한 현실이 펼쳐졌다. 이 모든 비극에 감독이 존재하는 것만 같았다. 둘의 머릿속엔 순간 꿈을 팔겠다던 영민의 말이 겹쳐 떠올랐다.

✳✳✳

짧은 몇 초의 순간이었을 것이다. 편의점의 계산대 앞에서 영민과 준혁은 그렇게 마주 서 있었다. 그렇지만 그 몇 초가 둘에게는 인생을 헤아릴 만큼 오래였다. 정적을 깨뜨린 것은 영민이었다.

"전부터 너 여기서 일하는 건 알았는데, 무서워서."

준혁은 어렴풋이 학창 시절 마지막으로 마주했던 영민이 떠올랐다. 그리고 준혁은 영민이 다 말하지 못한 '무서움'에 대해서 알 것 같았다. 준혁은 오랜 시간 동안 치료를 받으면서 수없이 많은 악몽을 마주했다. 오랜만에 만난 영민의 얼굴은 그 악몽을 닮아 있었다. 영민도 준혁도 그 속에서 깨어나는 방법을 찾을 수 없을 것만 같았다. 막연하게 준혁은 자신이 그렇듯 영민이 악몽의 한 가운데서 살고 있음을 짐작했다.

준혁 역시 영민이 어디서 무엇을 하고 있는지 너무도 잘 알고 있었다.

대충 사는 것이 꿈이라던 영민은 치열하고 닳아지도록 살았다. 그것이 때로는 대학로의 연극 포스터에서 때로는 영화의 어느 장면에서 준혁이 영민을 수시로 마주칠 수 있도록 했다. 준혁은 그것이 영민이 선택한 악몽을 떨쳐 버리기 위한 선택이라는 것을 너무도 잘 알고 있었다. 준혁은 울먹해졌다. 준혁이 생각했던 것보다 영민은 더 많이 닳아지고 소소해져 있었다. 탁하고 무거운 공기가 감돌았다.

"이거."

횡설수설하는 영민의 손에 시퍼렇게 떨리고 있는 지폐 세 장이 들려 있었다. 준혁은 영민이 무슨 말을 하려고 하는지 알 수 없어서 그대로 얼어 있었다. 영민은 어째야 할지 모르는 준혁의 손에 지폐를 쥐여 주었다. 손안에 가득 들어오는 삼만 원의 무게에 준혁은 끝없이 가라앉는 느낌이었다. 영민의 눈에는 준혁이 꾸고 있는 악몽이 자신이 값을 치르지 못한 꿈 때문인 듯했다. 한 톨도 되지 않아 보이는 그 자그마한 묵직함에 준혁은 한마디 대꾸도 하지 못한 채였다.

"혹시 나 편하자고 이런다고 생각할까 봐."
"알아."

준혁은 반사적으로 대답했다. 그러고는 무엇인가에 이끌리는 듯 계산대로 들어가 가방을 뒤적였다. 그리고는 한 손에 바쿠를 들고 영민에게 다가갔다. 다른 한 손에는 여전히 삼만 원어치 지폐가 들려 있었다. 준혁은 영민에게 반들반들 윤이 도는 목각 바쿠 인형을 건넸다. 영민은 얼결에 그것을 받아 들었다. 영민은 그것이 무엇인지 금방 알아차릴 수 있었다. 세월이 흘러 있었지만 여전히 미묘한 말투 하나에도 할 말을 읽을 수 있었다.

"잘 가."

준혁은 희미하게 웃어 보였다. 영민은 그 말의 뜻을 알아들은 듯 잠시 머뭇거렸다. 여전히 준혁의 손에 들린 세 장의 지폐가 들어오는 새벽바람에 흔들렸다. 그리고 영민은 그대로 떠났다. 준혁은 영민이 꿈을 되사기 위해 찾아온 것이 왜 이제였을까 생각했다. 이제는 흘러넘쳐서 더 이상 감당할 수 없을 것만 같았던 영민의 눈빛을 떠올렸다. 준혁은 영민의 남은 꿈이 그가 그토록 바라던 대로 '적당히 즐기다 마는 것'이 되기를 바랐다. 치열하지도 무섭지도 않은 그저 한낱 꿈이었음 싶었다. 준혁은 너무 오래도록 손에 쥐고 있었기에 여전히 목각 바쿠 인형의 윤곽이 쥐어지는 마법같은 상상에 안겼다.

3장

Mine

처음에는 자신이 느끼는 이 불편한 감정이
무엇인지 알기 어려웠다.
그러나 이제는 알 것 같았다.
언젠가는 또 신기루 한가운데 홀로 서 있을지도 모른다는
그 애매한 불안감 때문이라는 것을 말이다.

화려한 금색 빛의 기둥 바로 옆으로 세련된 갈색빛의 출입문이 자리
잡고 있었다. 그 앞에서 정연은 한참 멀찍이 바다를 보고 서 있었다. 가
끔 친구들을 만나기 위해 백화점을 들렀을 때 남의 일처럼 지나치기만
했던 곳이었다. 유리창 밖으로 전시된 가방, 구두, 목걸이들에 붙은 가
격표에 몇 개의 동그라미가 붙어 있는지 눈으로 대충 훑어보았다. 정연
은 무엇을 해야 하는지 고민하고 있었다. 선택은 둘 중 하나였다. 인생
에서 한 번도 사치라는 것을 부려 본 적이 없으니 그동안 힘들게 살아온
자신을 위한 선물이라고 생각해도 좋지 않을까 하는 자기합리화에 몇
번이고 마음이 스러졌다. '절대로 내가 거짓 인생을 연기하기 위한 것
이 아니다. 그저 고생한 나를 위한 선물일 뿐이다.'라며 되뇌었지만 마
음속의 또 다른 자아와 합의점에 달하지 못했다.

"그런데 이상하지 않아? 나는 선생님이 한 번도 이런 옷에 이런 명품
가방 들고 다니시는 거 못 봤는데, 이 사진은 그냥 완전히 다른 사람 같
아."

"다른 사람 아니야?"

"그런가? 짝퉁일 수도 있나? 그런데 이건? 이렇게 운동하는 모습 말

이야. 이런 몸매 같은 것도 짝퉁일 수 있나?"

정연이 이처럼 큰맘을 먹고 백화점에 온 것은 어제 학원에서 학생들
이 쑥덕거리는 모습을 보았기 때문이었다. 학생들은 정연의 소셜미디
어 계정을 찾아내어 거기에 올라온 게시글들을 넘겨 보고 있었다. 몰
래 숨겨서 자기들끼리 이야기하는 모습이었지만, 정연이 자신의 사진
이라는 것을 한눈에 알아차릴 수 있었다. 처음부터 이럴 의도는 아니었
다. 계산된 것도 절대 아니었다. 그러나 의도와 계산이 없었다고 하더
라도 죄책감으로부터 자유로울 수는 없었다. 어제 정연은 학생들의 소
곤거리는 모습을 보고는 심장이 뒤틀리는 것 같은 통증을 느꼈다. 어제
정연은 퇴근을 할 때 혹시라도 자신의 실체를 밝히기 위해 뒤를 따라붙
는 학생이 있을까 봐 몇 번이고 뒤를 돌아다 봐야 했다. 이것이 정연이
지금 잘못된 행동을 하고 있다는 증거였다.

정연은 자신감 넘치는 태도로 반짝이는 출입문을 열어젖히고 매장
안으로 들어가는 사람들을 한동안 바라봤다. 현실은 자신의 현재 재정
상태와 월급으로는 절대 저렇게 자신 있게 저 문을 통과하지는 못한다
는 것이었다. 그렇지만 선택하지 않을 수 없었다. 무엇을 사야 할까? 가
방? 아니면 구두? 되도록 상표는 커야 할 것이고, 누구나 알아볼 수 있
는 명품이어야 할 것이고 누구든 인정하는 비싼 것이어야 한다. 정연은
종전까지 자신이 고생한 자신을 위해서 이곳을 방문했다고 자신을 다
독였던 것이 생각났다. 정말 말 그대로 자기합리화였다. 그게 이유라

면 내 맘에 들어야 할 것인데 지금 정연은 다른 사람의 맘에 드는 것을 고민하고 있었기 때문이었다. 그러다 생각이 '어디서부터 잘못되었을까?'에 미쳤다. 처음 친구 민아의 부탁을 받았을 때는 이건 정연에게도 가볍고 아무렇지 않은 게임 같은 것이었음이 분명했다.

**

"그때 너 우리 회사에서 개발한 어플 베타테스트 모집하는 거 신청했었잖아 기억나?"

먼저 와 있던 민아가 정연이 커피숍으로 들어와 자리에 채 앉기도 전에 말했다. 민아는 언제나 특유의 급함을 지니고 있는 친구였다. 학창 시절에도 생각보다는 행동이 먼저 앞서는 친구였는데, 그런 민아의 성격이 아니었다면 정연은 민아 같은 스타일의 친구를 절대 사귀지 못했을 거라고 생각하고 있었다.

"당연히 기억하지. 그때 너 그거 비공개로 해야 하는 거라고 하면서 내 신상정보 털어갔잖아."

정연은 자리에 앉으면서 커피숍 구석에 놓인 어마어마하게 큰 스투키를 신기한 눈으로 쳐다보았다. 오랜 친구 사이인 민아와 정연은 굳이 많은 이야기를 나누지 않았다. 세월이 다져놓은 우정은 말하지 않고 기운과 기세만으로도 메시지를 전달할 수 있었다. 어플 개발 회사에 다니고 있는 민아는 막바지 어플 개발 작업으로 인해 한눈에 봐도 지친 모습이었다. 그래서 약속 장소도 민아의 회사 근처에 있는 커피숍이었다. 그래도 낭만적인 삶을 추구한다고 주장하는 민아는 그중 가장 세련되고 트렌디한 공간을 약속 장소로 골랐다. 커피숍은 한 눈으로 모든 테이블을 헤아릴 수 없을 정도로 으리으리했다. 테이블과 테이블 사이에는 뭘 먹고 저렇게 컸는지 모를 만큼 신비로운 큰 화분들이 자리 잡고 있었는데, 정연의 눈을 사로잡은 대형 스투키 역시 그들 중의 하나였다. 소위 말하는 핫플레이스의 요건을 다 갖추고 있어서인지 그 많은 테이블 중에 비어 있는 자리는 없었다. 오히려 자리를 잡지 못한 사람들이 갈팡질팡 테이블 사이를 오가고 있었다. 그래서인지 도무지 대화에 집중할 수 없는 날이었다. 소셜미디어 상에서 상당히 유명한 곳이었기 때문에 이미 커피숍 안의 부분 부분들은 공간이 아닌 평면 같았다. 정연은 처음 와보지만 여러 번 와본 것 같은 익숙함이 낯설다고 느꼈다.

"그거 너 선정됐더라. 아마 회사에서 연락 갈걸? 아직 연락 못 받았어?"

"야. 너 그거 정보만 넣으면 되는 거라고 했잖아. 귀찮아지는 거 아니야?"

"그럼 어쩌냐. 기준에 네가 적합하다는데."

정연은 민아의 반쯤 감긴 눈을 보며 군말을 더 이상 붙일 수가 없었다. 마음으로는 귀찮은 일에 조금도 엮이고 싶지 않았지만 그저 어플 하나 깔면 되는 것인데 굳이 피곤한 친구에게 사족을 붙이고 싶지는 않았다. 다만 정연은 '기준에 적합'이라는 민아의 말이 최근 들어 본 중 가장 우스운 것이라는 생각을 했다. 민아는 비공식적인 베타테스트를 진행하기 위해 여러 사람들의 신청을 받았었고, 그때 정연 역시 민아의 우는 소리에 그 신청에 응했다. 그때 민아는 베타테스터 선정 기준이 회사에서 정한 '평범함'의 척도에 가장 부합하는 사람이라고 말했었다. 그러면 그 많은 '평범한 사람들' 중에 정연 자신이 '가장 지극히 평범한 사람'이라는 말이 되는 건데 도무지 기뻐해야 할지 슬퍼해야 할지 알 수 없었다.

그렇게 정연은 'Mine'과 만나게 되었다. 관심도 없던 소셜미디어의 개정을 만들어야 했고 회사 측에 몇 가지 귀찮은 피드백을 제출해야 했으므로 출발은 크게 내키지 않았다. 그러나 약간의 보수를 받을 수도 있었고, 이 어플은 보면 볼수록 재미있는 요소가 많았다. 자신의 사진을 넣고 몇 가지 설정값을 입력했을 뿐인데, 사람들이 어떤 게시글에 끌리는지 데이터를 분석해서 매력적인 게시글을 정연의 계정에 자동으로 올려줬다. 어플의 존재를 아는 정연의 눈에는 약간 어설픈 측면이 눈에 들어오기도 했지만, 신기하게도 게시글이 올라올 때마다 팔로워의 수가 늘어가는 것이 보였다. 게시글 속에서 정연은 매일 아침 운동을 즐기고, 자신의 몸매 변화를 사진에 담아 올리는 생기 넘치는 모습이었다. 하루 아침에 이루어지지 않았을 것 같은 탄탄한 근육들, 그리고 그 근육들을 만들기 위해 들였을 어마어마한 시간과 그리고 그 시간을 살 수 있는 엄청난 부까지 그 은근한 화려함에 가끔 소름이 돋을 정도였다. 먹고 쓰고 입는 것까지 모든 것이 정연의 삶이 되어 게시글로 올라왔고 정연이 생전 처음 보는 것들도 있었다.

정연은 문득 깨달았다. 이러한 자신의 모습을 그토록 동경해 왔다는 것을 말이다. 내가 나를 동경한다는 것이 누군가에게는 우습게 들릴 수 있겠지만 더 좋은 표현을 찾기 어려웠다. 사실 정연은 이전까지 무엇이 되고 싶다는 마음도 무엇이 되어야겠다는 마음도 없었다. 직업을 가지고 돈을 벌고 그리고 그 삶이 한 번의 일탈도 없이 지속되면 그것은 그냥 행복하고 자시고를 따질 수도 없고 따져서도 안 된다고 생각해 왔다. 지금보다 어느 정도 높아야, 어느 정도 가져야 삶이 평소보다 더 행복해졌다는 신호를 받을 수 있을까. 그 높이와 정도가 이만큼이었음을 정연은 비로소 깨달은 것만 같았다. 무엇보다 자신의 삶을 부러워하는 사람들의 댓글 속에서 하루에도 몇 번씩은 입꼬리가 꿈틀꿈틀했다. 그러면서 정연은 이 정도의 만족도라면 이 어플을 유료로 결제하고 사용할 수도 있겠다는 생각을 했다. 정연은 민아와의 통화에서 아무래도 이 어플은 대박이 날 것이며 너는 큰 보너스를 받을 것이 틀림없다고 입이 마르도록 칭찬하기도 했다. 그래. 이때까지만 해도 그랬던 것 같다. 불안하지도 불안할 필요도 없었다.

***

"쌤! 이거 쌤 맞아요?"

유난스러운 소리와 함께 지민이 강의실 안으로 들어 왔다. 지민은 정연의 학원에서 가장 활발하고 귀여운 학생이었다. 지민은 늘 먼저 묻지 않아도 학원에 오자마자 자신이 학교에서 있었던 일을 재잘대며 말했다. 아침에 학교에 지각을 했는데 선생님도 같이 지각해서 횡재한 날이었다든지, 급식에서 아이스크림을 몰래 두 번 받았는데 아무도 못 알아봤다든지 하는 사소한 이야기들이었다. 지민은 강의실에 들어서자마자 대뜸 휴대폰 화면을 정연의 코 밑으로 들이댔다. 휴대폰 화면에는 낯설지만 정연인 것이 분명한 사진이 담겨 있었다.

"이거요! 쌤! 야! 너네 이거 봤어?"

지민의 주변으로 미리 수업을 준비하고 있던 학생들이 흥미를 보이며 모여들었다. 정연의 학원은 자그마한 동네 학원이었는데 학생 수가 많지 않아서 영어 선생님은 정연 한 명뿐이었다. 정연은 항상 이 점을 장점이라고 생각했다. 다른 선생님들과 인기 경쟁으로 에너지를 소모할 필요도 없었고 학생들과 돈독하게 지낼 수도 있었다. 한참을 재잘거리며 떠들어 대는 아이들의 모습을 보며 정연은 크게 심각함을 느끼지 못했다. 이미 언젠간 벌어질 수 있는 일이라고 생각했고, 아이들이 묻게 되면 진실과 거짓의 어느 지점에서 애매하게 대답하리라고 이미 구상해 둔 탓이었다. 그리고 정연은 자신이 구상했던 그대로 적절히 대처를 했다고 생각했다. 수업이 끝난 후 교실에 모든 학생이 빠져나갔음에도 지민은 그대로 남아 있었다.

"선생님 그렇게 잘 사는 분인 줄은 몰랐어요. 제 주변에서 그렇게 부자인 사람은 처음 봐요. 처음에는 선생님 아닌 줄 알았어요."

정연은 뜻밖의 말에 당황했다. 그리고 머릿속으로 수만 가지 생각이 오고 갔다. 미처 생각하지 못한 선택지였다. 지민이 풍기는 낯선 분위기가 알 수 없는 가시로 돋아나 정연의 깊은 심연 속 어딘가를 찌르고 있는 것처럼 뜨끔거렸다. 정연은 이 소셜 계정으로 인해 아무 일도 일어나지 않을 거라고 생각했다. 그런데 지민의 말투와 표정에서 예측하지 못했던 묘한 감정이 느껴짐이 당황스러웠다. 베타테스트가 끝난다면 아무 문제가 없으리라고 생각했었는데 그 모든 일은 정연의 생각보다 더 황당한 방향으로 번져가는 느낌이었다. 정연의 당황스러운 표정에 지민은 마치 첩보 영화에 나오는 스파이처럼 은밀한 표정으로 미소를 지어 보였다. 지민은 아무렇게나 함부로 다른 사람들의 이야기를 하는 아이가 아니었다. 그동안 지민과 많은 이야기를 나누었지만 항상 자신의 이야기를 늘어놓을 뿐이었지 다른 사람의 이야기를 전하는 것을 본 적은 없었다. 그것이 정연이 지민을 좋은 아이라고 생각했던 이유였다.

"보니까 디게 유명하더라구요. 평소에는 티 안 나는 거 그게 찐이잖아요. 근데 이상하게 쌤 안 같아요. 학원 쌤들 아무도 모르죠?"

정연은 어떻게 말을 해야 지민을 이해시킬 수 있을지 고민했다. 수많은 거짓말들이 머릿속을 떠다녔고 그것들 중 어떤 것이 적절한지 선택할 수 없었다. 지민은 진심이었다. 정연은 그것을 알 수 있었다. 순간 소셜미디어 상의 정연이라면 어떻게 대답했을까를 고민했다. 아마도 '사실 나는 평범하게 살고 싶어. 유명해진다는 건 피곤하거든. 어디서도 편하게 밥을 먹을 수 없고, 누구를 편하게 만날 수도 없지. 그러니 당분간 비밀로 해줄래?'라고 했을 것이다. 그렇게 말하려면 정연은 소셜미디어의 정연이 되어야 했다. 분명 같은 사람인데 마치 다른 사람인 것처럼 마음을 짐작해서 대답해야 한다는 것이 괴상하다는 생각이 들었다.

"응. 학원에는 비밀로 하는 거 맞아. 비밀로 하고 싶어서."

정연이 생각 끝에 겨우 말을 꺼냈다. 이 이상 말을 더 덧붙일 수 없었다. 이런 상황에서 어떤 말을 해야 거짓말을 하지 않으면서 동시에 이상해 보이지 않을 수 있을지를 고민했다. 그렇게 해서 나온 말이었다. 그리고 말을 한 후에 정연은 빨리 이 상황을 어떻게 해서든 끝내야 한다고 생각했다.

"그냥 계정을 없애면 되는 거 아니에요?"

정연은 지민의 말에 할 말을 잃었다. 그 이후에는 어떤 말을 어떻게 해야 할지 생각할 수 없었다. 안 그래도 없애려고 했다고 잠시 재미로 글을 올린 것인데 누가 볼 줄은 몰랐다고 대충 얼버무려 말했지만 지민이 이해하는 것 같지는 않았다. 그저 어른들의 세계는 네가 이해할 수 없는 것들이 많다는 식으로 마무리가 되는 분위기였다. 그러나 세상에는 어른이 되어도 이해할 수 없는 것들이 많았다. 정연도 이해할 수가 없었다. 왜 그때 여기에 있는 정연이는 나와 다른 사람이라고 말할 수 없었는지 말이다. 그건 아마도 정연이 게시글에서 탄탄한 몸매와 그 몸매를 유지할 수 있을 만큼의 많은 돈과 시간을 정말로 자신의 것으로 여기고 있기 때문이었을지도 모른다. 어쨌든 정연의 얼굴이었고 정연의 또 다른 삶이었고 정연의 꿈이었으니까.

***

어렴풋이 아침 햇살이 얇은 시폰 커튼에 스며들었다. 강하지 않은 옅은 빛이었지만, 이내 침대 모서리부터 머리맡까지 침범해 들어왔다. 정연은 그 빛에 눈썹을 잠깐 일그러뜨렸으나 눈을 뜨지는 않았다. 정연은 학원 강사로서의 삶을 시작하면서 한 번도 온전히 이 빛을 누린 적이 없었다. 그럼에도 불구하고 사람은 햇볕을 쐬어야 오히려 더 깊은 잠을 잘 수 있다고 믿는 그녀의 고지식한 철학에 햇볕을 반만 겨우 가릴 수 있는 시폰 커튼이 베란다에 무색하게 걸려 있었다. 거실을 겸한 방 한 칸은 한눈에 집안의 모든 것을 둘러볼 수 있을 정도로 자그마했다. 가구라고는 그녀가 누워 있는 침대와 그 옆으로 기역 자를 그리고 있는 크림색 책상뿐이었다. 책상 위 모던 그레이 색상의 데스크 매트 위에는 정연이 좋아하는 캐릭터 무늬가 그려진 2B 연필들이 대충 접힌 문제집들과 함께 아무렇게나 굴러다니고 있었다. 해가 조금 더 오르며 볕의 농도가 더 짙어지자 정연은 더 버티지 못하고 몸을 뒤척였다. 그리고 습관적으로 베개 밑에 놓여 있는 휴대폰을 확인했다.

'Mine을 통해 새로운 피드가 게시되었습니다.'

정연은 살짝 몸을 일으켜 새로 올라온 게시글을 확인했다. 사방으로 흩어져 있는 별들이 소용돌이를 일으키며 'Mine'이라는 글씨를 감아 돌았다. 이윽고 자신의 모습을 꼭 닮은 익숙한 얼굴이 눈에 들어왔다. 오늘따라 유난히도 낯설어 보이는 또 다른 정연은 새벽 운동을 마치고 약간은 상기된 얼굴을 하고 있었다. 누가 보아도 새벽 운동을 통해 다져 진 다부진 몸매에 어딘지 모를 자신감이 풍겨 나오는 낯선 모습이었다. 정연은 괜히 멋쩍게 헝클어진 머리를 손가락으로 쓸어 빗으며 침대를 빠져 나왔다. 그러다 문득 전날 지민과 나눈 대화가 떠올랐다.

'계정을 없애면 그만'이라는 지민의 말이 계속해서 정연의 주변을 맴 돌았다. 정연의 계정에 댓글을 남기는 사람들은 정확히 정연이 어떤 직 업을 가지고 있는지 나이가 몇 살인지 알지 못했다. 정연은 어플을 통 해 계정의 게시물을 올리는 것은 일종의 육성 시뮬레이션 게임같은 것이라고 생각했다. 그냥 어플의 도움을 받아서 사람들의 마음에 맞게 잘 키우면 되는 것 아닌가. 아마 이 어플을 개발한 회사도 그런 입장이었을 것이고 정연은 그 목적에 부합하고 있을 뿐이었다. 얼마 안 있으면 베타테스트 기간이 끝난다. 정연은 그때까지만 잘 버티면 된다고 생각했다. 그리고 지금에 와서 계정을 지운다면 베타테스터로서 보수를 받지도 못할 것이고, 민아도 곤란해질 것이 뻔했다. 생각이 여기에 닿으니 정연의 마음이 한결 편해졌다.

'선생님 근데 운동 얼마나 하면 이렇게 돼요?'

정연의 귓가에 지민이 했던 마지막 말이 맴돌았다. 정연은 지민의 질문에 쉽사리 대답하지 못했다. 얼버무려 2년쯤이라고 대답했는데, 사실 해 본 적이 없어서 어느 정도 시간을 투자해야 하는지 정확히 알 수 없었다. 정연은 끝까지 지민에게 어플의 존재를 솔직하게 말하지 못했다는 점이 걸렸다. 솔직하게 말을 했더라면, 꼬리에 꼬리를 물고 최대한 거짓말의 범주 안에 들어가지 않도록 애쓰는 답변 따위를 하려고 노력하지 않아도 됐을 것이다. 지민은 선생님이 곤란해지는 것을 원하지 않는다면서 이 이상은 소문나지 않도록 비밀로 하겠다고 약속했지만, 이런 속도로 계속해서 팔로워가 늘어나고 유명해진다면 어떻게 대처해야 할지 알 수 없었다. 어쩌면 지나가는 사람들도 자신을 알아볼 수 있지 않을까. 그렇다면 어떤 말로 어떻게 설명해야 할까. 지나가는 사람들은 다시 볼 수 없는 사람들이니까 그저 웃으면서 지나치면 그만이겠지만 학원 전체에 소문이 퍼진다면 어떤 식으로든 설명을 해야 할 수밖에 없을 것이다. 꼬리에 꼬리를 물고 퍼지는 생각들로 정연은 답을 내리기 어려웠다.

***

정연은 결국 아침 일찍부터 백화점으로 향했던 기세와는 다르게 빈손으로 학원에 출근했다. 어떤 선택도 하기 어려울 때는 선택을 보류하는 것이 정연의 지론이었다. 며칠만 더 생각하고, 며칠만 더 고민해 보고, 며칠만 더 검색해 보고 정연은 마음속으로 계속 주문을 외우듯 '며칠만'했다. 그러나 한편으로는 어제 학생들이 자신을 향해 수군거렸던 모습과 그 표정들이 정연의 머릿속에서 떠나지 않았다. 불안한 마음에 휴대폰을 한 손에 쥐고 다른 손으로 가방에서 수업 준비물들을 주섬주섬 꺼내고 있었는데 원장실에서 호출이 왔다. 요즘 학원생들이 줄어들고 있다는 말을 옆자리 수학 선생님에게 들었는데 아마도 그 문제 때문에 부른 것이 아닌가 하는 생각을 하면서 원장실로 향했다.

"오해하지 말고 들었으면 좋겠어요."

정연은 이상하리만치 원장이 말을 조심히 꺼내고 있다는 것을 느꼈다. 평소에 이런 사람이 아니었다. 원장은 항상 어느 정도는 그 자신이 위에 위치하고 있다는 느낌을 주는 화법으로 찝찝한 기분이 들도록 말하는 재주가 있는 사람이었다. 그러나 오늘의 모습은 그런 원장의 모습을 조금도 짐작할 수 없을 정도로 신중했다.

"아이들이 이야기하는 말을 듣고 말하는 건데. 내 생각은 아니에요."

서론이 길었다. 정연은 일이 자신이 생각했던 것보다 더 잘못 돌아가고 있음을 깨달았다. 원장은 학원생들이 정연의 도덕성을 운운하고 있다는 말을 어렵게 꺼냈다. 생각보다 짧은 시간에 소문이 걷잡을 수 없이 번진 모양이었다. '내 생각은 아니다'라는 원장의 말은 아마도 만에 하나 정연이 실제로 그 정도의 권력과 부를 가진 사람이 사실일지 모른다는 것을 염두에 두고 있는 것일지도 몰랐다. 정연은 그렇게 원장의 마음을 짐작하고 나니 더 헛헛한 마음에 사로잡혔다. 정연은 원장에게 만큼은 사실대로 말해야 한다는 생각을 하고 있었지만 뜻대로 입이 움직여주지 않았다. 사진과 글로만 접한 인생이었지만 정연에게는 너무 커다란 일상처럼 자리 잡고 있었다. 많은 것을 바란 것은 아니었다. 그저 재미로 몇 개의 게시글 속에서 잘난 사람이 되고 싶었던 것뿐이었다. 정연은 사진 몇 장에 글 몇 개가 그렇게도 누군가의 비위를 상하게 할 문제인지 의심스러웠다. 결국 그들은 몇 년간 진짜 정연이 어떤 사람인지 관심도 없었으면서 어쩌면 정말 잘났을지도 모르는 정연의 진위만이 궁금할 뿐이다.

"원장님. 저는 지금 이 상황이 굉장히 불쾌합니다."

마치 다른 정연이 머리 꼭대기부터 발끝까지 자리잡고 있는 것처럼 거침없는 말이 줄줄 쏟아져 나왔다. 더 이상 이런 모욕을 받으면서 학원을 다닐 이유가 없으며 어차피 그만두려고 했었다는 봉인된 거짓말이 줄줄이 쏟아져 나왔다. 정연은 그 어느 때보다 꼿꼿하고 우아한 말투와 몸짓으로 단박에 원장의 얼굴에 세찬 말을 아무렇지 않게 던져버렸다. 자리로 돌아와 자리를 정리하는 내내 정연은 최대한 고상하고 기품있는 태도를 유지했다. 지금도 어딘가에서 누군가가 부러워하고 있을 그런 정연의 모습이었다. 처음 느껴보는 우월감에 정연은 온몸에 소름이 돋았다.

***

"야 이거 Mine 쓴 거 같냐?"

정연은 순간 귀를 의심했다. 베타테스트가 끝나고 마지막 피드백까지 회사에 넘긴 후 한동안은 듣지 못했던 이름이었다. 얼마 전 민아에게 성공적으로 어플이 출시되었다는 말을 듣긴 했지만 이렇게까지 빠른 속도로 일상에서 그 이름을 듣게 될 줄은 꿈에도 생각하지 못했다. 정연은 몰려 있는 학생들이 보고 있는 휴대폰 화면을 힐끗거렸다. 학생들은 저마다 자신들의 의견을 내놓았다. 몇몇 학생들은 배경이 다른 곳에서 본 것 같으니까 혹은 얼굴이 어디서 많이 본 것 같으니까 어플이 맞다고 했다. 또 나머지 학생들은 머리 모양이나 몸매 같은 것이 어색하지 않으니까 어플을 쓴 것이 아닐 거라고도 했다. 학생들이 보는 사진에는 그 나이 또래 학생들의 모습이 담겨 있었다.

정연은 민아에게 어플이 정식으로 출시된다면 이렇게 다른 인생을 살아 보는 것은 어느 정도의 가격이 책정되는지 물어보았다. 그때 민아가 정확히 얼마 정도를 말했는지 기억이 나지 않지만, '헉' 하는 소리가 나올 만큼 큰 금액이었던 것은 분명히 기억하고 있었다. 만약 저 사진 속의 화려함이 정말로 만들어진 것이라면 저 아이는 저 정도는 기꺼이 지불할 수 있는 금액이라고 생각했을까.

"쌤 이거 진짜 같아요?"

정연은 멋쩍게 웃으면서 학생이 내미는 사진을 힐끗 보았다. 정연은 사진에 담긴 모습이 예전의 학원에서 만났던 지민이와 닮았다고 생각했다. 그 안의 여고생이라는 그 아이는 짧은 크롭티에 한 줌도 되지 않는 얇은 허리와 그 위로 드러나 보이는 탄탄한 복근을 가지고 마치 아이돌처럼 웃고 있었다. 정연은 자신이 아는 지민이 맞다면 그렇게 짧은 시간 안에 이런 모습을 하고 있지는 못할 것이라고 생각했다. 그렇다면 정말 어플을 쓴 것이 맞을까. 정연은 자신의 모습을 부러워하던 지민의 모습이 떠올라 자꾸 속부터 쓴맛을 느꼈다. 정연은 성공적으로 자신의 위용을 뽐내고 있는 'Mine'을 보면서 그 안에 담겨 있을 자신의 공적에 하염없었다. 처음에는 자신이 느끼는 이 불편한 감정이 무엇인지 알기 어려웠다. 그러나 이제는 알 것 같았다. 언젠가는 또 신기루 한가운데 홀로 서 있을지도 모른다는 그 애매한 불안감 때문이라는 것을 말이다.

가끔은 선명한 안녕

발행 2024년 07월 19일
지은이 오주연
디자인 조효빈
펴낸이 정원우
펴낸곳 글ego
출판등록 2019.06.21 (제2019-000227호)
주소 서울특별시 강남구 강남대로 118길 24, 3층(논현동)
이메일 writing4ego@gmail.com
홈페이지 http://egowriting.com
인스타그램 @egowriting

ISBN 979-11-6666-527-1